Catherine

Si tu t'occupais des plantes de ta maison

Éditions du Sorbier

51, rue Barrault
75013 PARIS

Pour souhaiter la fête à leur grand-mère, Jean et Martine flânent à travers les rues de la grande ville en quête d'un cadeau original. Que le choix est difficile !

Soudain, ils aperçoivent un fleuriste. « Allons-y ! », dit Martine « C'est une bonne idée », dit Jean.

Devant la vitrine, ils sont un peu embarrassés...

... Ils vont demander conseil au vendeur.

Le vendeur leur propose d'offrir une plante à fleurs. « Le choix est vaste », leur dit-il. « Il y a des variétés à fleurs d'une seule couleur ou bien multicolores comme celle-ci, c'est un **cinéraire** qui existe en blanc, mauve, bleu ou rouge qui ressemble aux marguerites. Cette plante a besoin de fraîcheur et de lumière.

Cette fleur est dite « composée ».

Voici un **IMPATIENS** à fleurs normales simples dont les pétales sont disposés en une seule rangée.

L'**AZALÉE** existe en blanc, rose, rouge. Ses fleurs sont doubles.

FLEUR D'AZALÉE.

ROSIER NAIN.

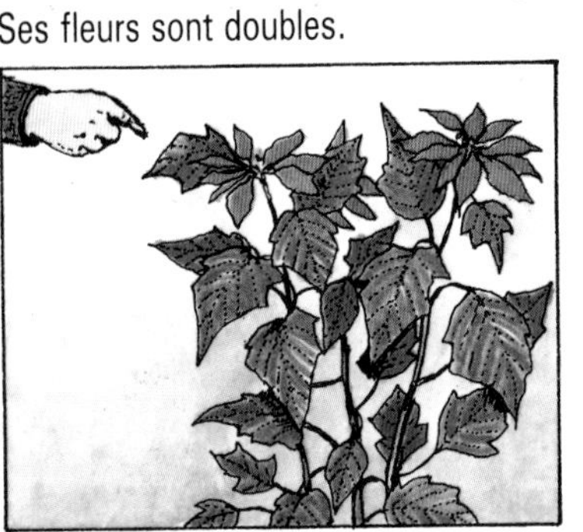

Cette belle étrange plante : c'est le **POINSETTIA**, dite bractée. Les vraies fleurs sont au centre.

Fleur de **POINSETTIA**, ou Étoile de Noël.

Une fleur de **PRIMEVÈRE.**

Ici, la **COBÉE GRIMPANTE** et à côté le **FUCHSIA** dont les fleurs sont en forme de cloche.

Voici une plante originale à fleur blanche : l'**AILE BLANCHE** dite spathique, car elle est formée d'un spathe entourant le spadice, épi charnu portant des petits fleurons.

Voici une plante à fleurs jaunes, l'**APHELANDRA** ou plante zèbre.

Et une plante à fleurs rouges : le **VRIESIA.**

Émerveillés par tant de formes et de couleurs, Jean et Martine portent finalement leur choix sur l'Aile blanche qu'ils trouvent gracieuse. Voulant en savoir plus sur les plantes, ils lui demandent de leur montrer d'autres variétés. « Avec plaisir, répond-il. » Après les plantes à fleurs, observons les plantes vertes.

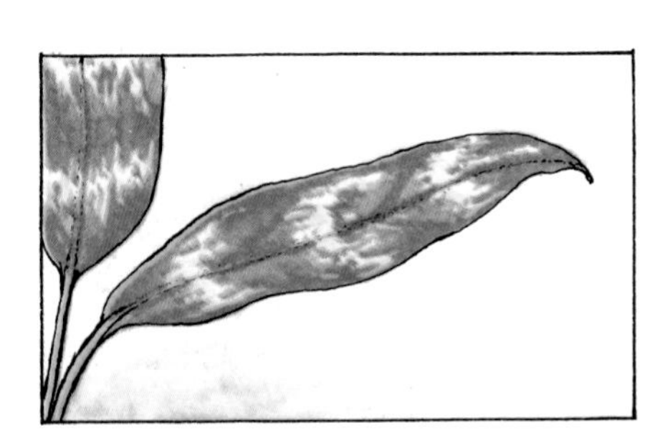

AGLAONEMA

Examinons les feuilles. En général, elles sont vertes. Elles peuvent aussi être panachées et en forme de lance comme celles de l'**AGLAONEMA**, ou colorées comme celles du **BÉGONIA** ou du **CALADIUM.** Les feuilles du bégonia sont asymétriques, celles du caladium en forme de flèche.

Voici les quatre principaux groupes de formes de plantes : de gauche à droite : les dressées (caoutchouc), les touffues (maranta), les retombantes (ficus pumila) et les grimpantes (cissus ou lierre). Certaines grimpantes comme les vignes ont des vrilles, ou des racines aériennes comme le lierre.

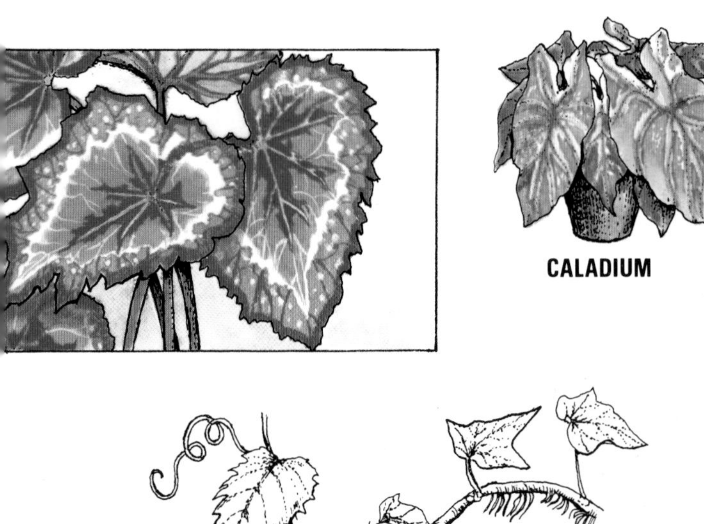

La **PLANTE URNE** (broméliacée) et l'**AGAVE D'AMÉRIQUE** (plante grasse), dont les bords des feuilles en dents de scie sont dites plantes en rosette.

Ce cactus appelé **FÉROCACTUS A CORNES** fait partie des plantes à tiges épineuses. Attention aux épines crochues !

LES FOUGÈRES ont des feuilles qui ressemblent à des arêtes de poisson.

Cette fougère de grande envergure dite **CORNE DE CERF** a des feuilles en forme d'étoile.

Deux exemples de plantes à feuilles minuscules : l'**HELXINE** à gauche et la **CRASSULA LYCOPODIOIDES** à droite aux feuilles en écailles.

CHEVRON SIMPLE.

Ici, les feuilles en forme de doigt du **CYPÉRUS** ou plante ombrelle.

CHEVRON DOUBLE.

Voici les graminées aux feuilles très étroites. De gauche à droite : **ACORE** à feuilles de graminées, le **CAREX JAPONICA** et l'**ISOLÉPIDE GRÊLE** à petites fleurs blanches.

« Bonne fête Mamy », crient Jean et Martine en arrivant, fiers de lui offrir l'Aile blanche...

... qu'elle prend soin de placer dans un coin semi-ombragé, comme il se doit.

On discute au salon, quand soudain, Grand-mère pense qu'elle doit rempoter son saintpaulia placé sur le guéridon, car il est maladif.
« Allons à la cuisine, c'est salissant », dit-elle.

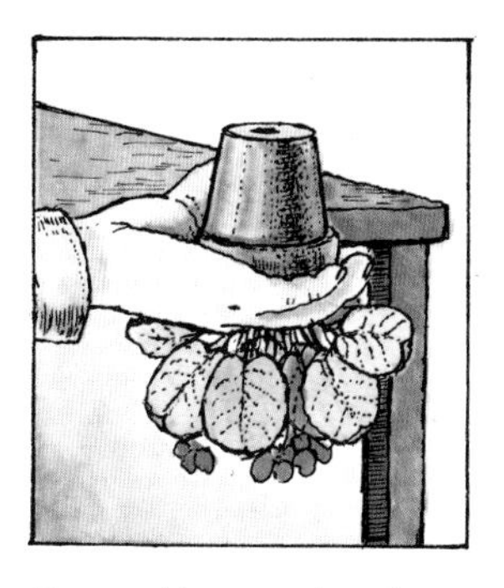
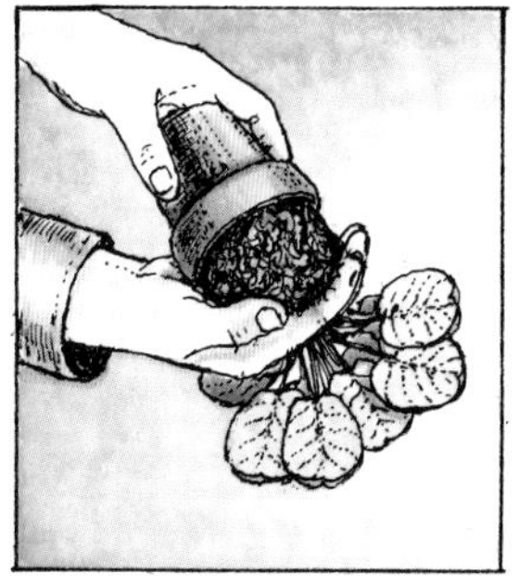

Pour dépoter la plante, elle tape le pot sur le coin de la table, enlève doucement la motte et ôte la mousse collée tout autour. Elle observe que les racines ont envahi le tout, signe que la plante a besoin de changer de pot.

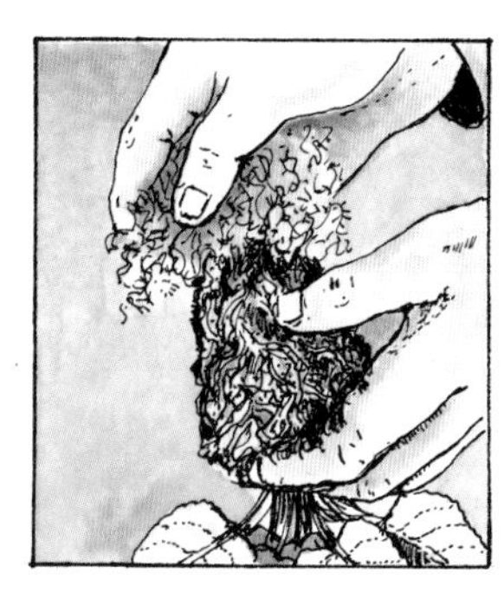

Sur un journal, elle a placé le terreau, le pot de remplacement à peine plus grand que l'autre et le matériel de drainage : un tesson qu'elle place sur le trou au fond du pot.

Puis elle introduit la motte bien droite dans le pot, ensuite elle comble le vide entre la motte et la paroi du pot avec le terreau neuf. Enfin, elle tasse un peu avec le bout des doigts.

Voilà, son saintpaulia va bientôt retrouver la santé !

Les enfants disent qu'il doit être agréable de soigner les plantes. « Pourquoi n'essayez-vous pas ? » dit Grand-mère.

« Tenez, pour commencer, conservez ce noyau d'**avocat,** à partir duquel vous ferez pousser un **avocatier**.

Laissez-le tremper dans l'eau tiède pendant 24 heures. Ensuite, faites-le germer dans un vase à col étroit rempli d'eau tiède : pour cela, fixez le noyau sur le rebord du vase à l'aide de 3 épingles piquées à l'horizontale sur le petit bout. Seul le gros bout, dirigé vers le bas touche l'eau. Placez-le près d'un radiateur ou dans un placard tiède.

Au bout de quelques semaines apparaîtront les racines, puis une pousse verte. Une fois les racines bien développées, empotez la plante dans un mélange à base de tourbe, le bout du noyau restant visible à la surface.

Qu'est-ce qu'une plante ?

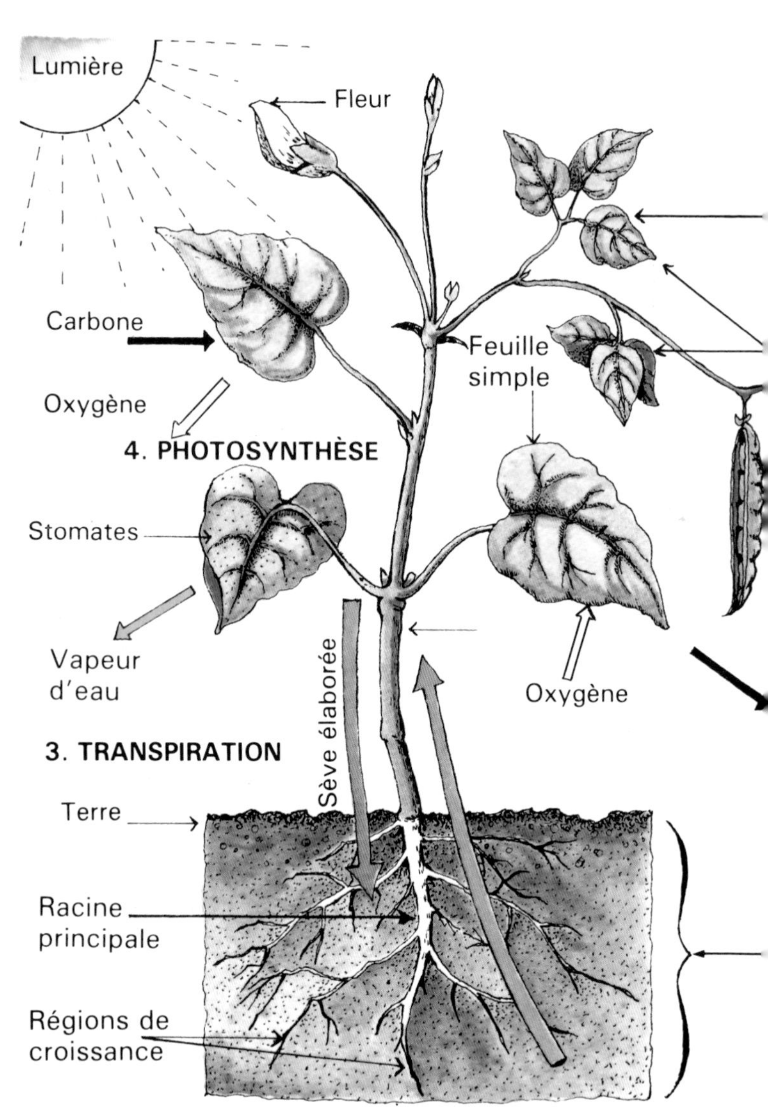

Feuille composée

Folioles

Fruit

Gaz carbonique

2. RESPIRATION

1. ABSORPTION

Eau
+
sels minéraux

Les plantes grandissent grâce à l'eau, l'air, la lumière et tirent toute leur énergie de la photosynthèse qui est l'action de la lumière sur la chlorophylle ou pigment vert contenu dans les feuilles et les tiges.

Les plantes respirent suivant le processus inverse de la photosynthèse, se nourrissent par les racines et transpirent. Tous les végétaux ont aussi une période de croissance qui va du printemps à l'automne et une période de repos en hiver pendant laquelle, pour les plantes d'intérieur, il faut réduire l'arrosage et la nourriture.

D'aussi loin que date leur acclimatation chez nous, elles gardent les caractères physiques élaborés au cours des millions d'années de l'évolution.

Dans la nature, certaines poussent accrochées à un arbre ou à un rocher, d'autres poussent partiellement ou en totalité dans l'eau, enfin il y a celles qui poussent dans la terre.

Celles que vend le fleuriste sont cultivées dans des serres toute l'année, sauf les plus délicates, seulement au printemps et en été. Le fleuriste donne toujours des conseils pour les soigner.

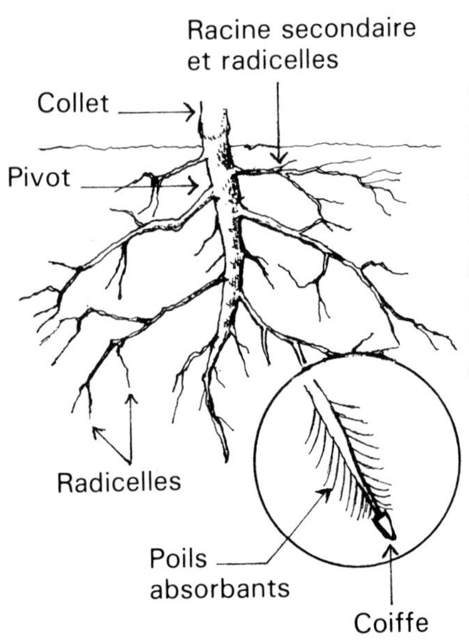

LA RACINE

Partie généralement souterraine qui fixe la plante au sol. Elle absorbe l'eau et les éléments nutritifs dont la plante a besoin.
Suivant la plante, elle a différents aspects : elle est charnue, pivotante, tubéreuse, fasciculée, etc.

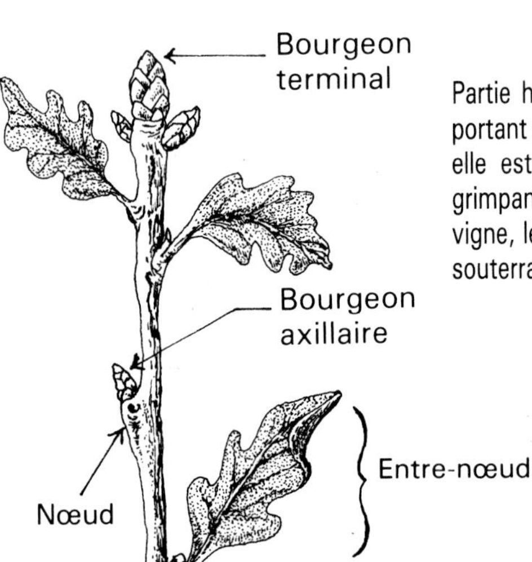

LA TIGE

Partie hors de terre, verticale, portant des feuilles. En général, elle est aérienne, dressée ou grimpante (ex. : le lierre, la vigne, le liseron), elle peut être souterraine (ex. : les bulbes).

LES FEUILLES

Sont opposées quand elles sont face à face sur l'axe de la tige, alternes quand elles sont insérées isolément de part et d'autre de la tige. Une feuille est simple ou composée. (Schémas pages 4 et 5).

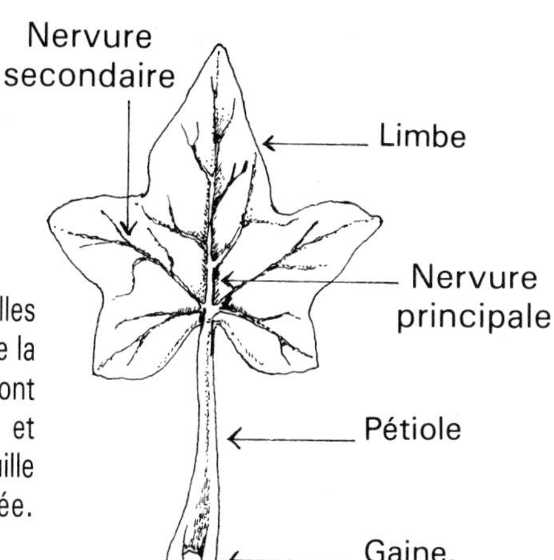

LA FLEUR

est l'organe de reproduction sexué de la plante. Une fleur **mâle** ne renferme que les étamines, organes mâles.
Une fleur **femelle** ne porte que le pistil, organe femelle.
Une fleur **hermaphrodite** porte à la fois les étamines et le pistil.

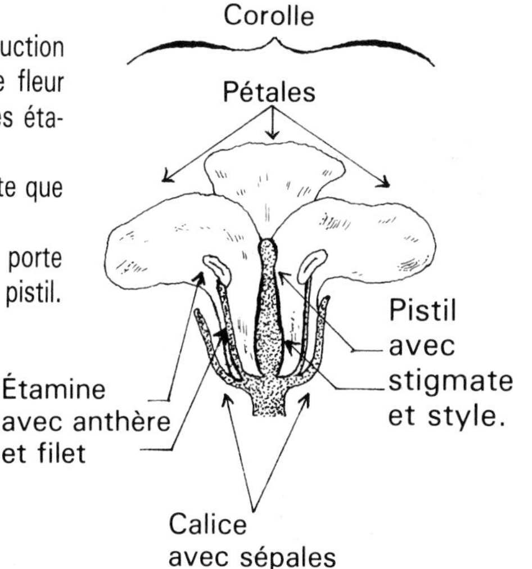

Les types de plantes

LES PLANTES VERTES

Elles sont permanentes à condition de bien les soigner. Elles sont attirantes par leurs feuilles et leur silhouette, existent en une multitude de variétés.

LES PLANTES A FLEURS ET CELLES FLEURIES EN POTS

Les plantes à fleurs fleurissent à l'intérieur et le feuillage reste vert toute l'année. Certaines plantes fleuries en pots ne durent que le temps de la floraison, donc pas toute l'année.

LES BULBES

Le narcisse, la tulipe et la jacinthe entre autres sont des bulbes, c'est-à-dire avec une tige souterraine ventrue. Elles peuvent pousser à l'intérieur et après la floraison, être plantées dans le jardin.

LES CACTUS ET LES PLANTES GRASSES

Permanentes, faciles à faire pousser, certaines fleurissent si les conditions sont favorables. Leurs tiges ou leurs feuilles charnues ont parfois des épines.

LES PLANTES A FRUITS

Plantes à fleurs pourvues aussi de fruits ou de baies aux couleurs vives. Originaires, par exemple, de l'Inde, des Philippines, elles exigent beaucoup de soleil et de chaleur et sont donc difficiles à cultiver à l'intérieur.

LES ARBRES MINIATURES

Ils sont permanents. Ces arbres nains sont obtenus en taillant les racines et les branches de façon à ce que la plante ne pousse pas en hauteur, selon l'art ancien japonais. Ainsi, on cultive des petits hêtres, des frênes, des saules, des conifères, etc.

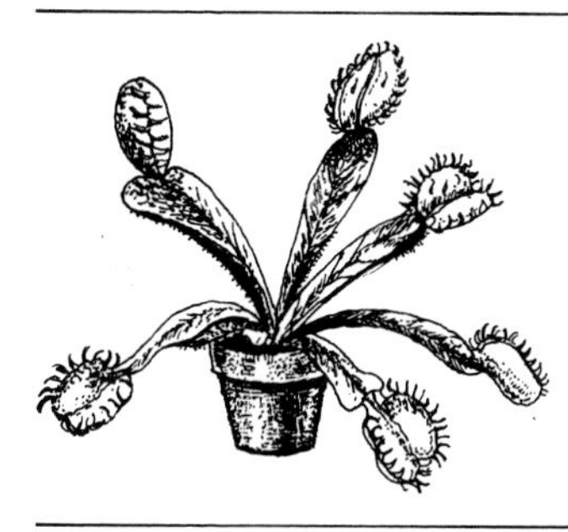

LES PLANTES CARNIVORES

Spectaculaires plantes permanentes qui capturent et digèrent les petits insectes. La drosera a des poils glanduleux et secrète un liquide collant.
La dionaea emprisonne la mouche dans le lobe de ses feuilles.

LES PLANTES A PARTIR DE PÉPINS ET DE NOYAUX

A partir de pépins ou noyaux de fruits, on peut faire pousser un oranger, un citronnier, un dattier, un avocatier, un pêcher etc.
A partir de graines, on obtient des plantes annuelles grimpantes comme la capucine.

Comment va la plante ?

Voici quelques-uns des signes de mauvaise santé de la plante qui surgissent en raison de mauvais soins ou de négligence.

– **La plante pousse mal ou pas du tout en été.** Causes : sous-alimentation ou trop arrosée.

– **Les feuilles, pâles, poussent en fuseau en période de croissance.** Causes : sous-alimentée ou manque de lumière.

– **Elle fane.** Causes : sècheresse prolongée du sol, excès d'eau qui asphyxie les racines ou trop de soleil.

– **Ses bourgeons et ses fleurs tombent.** Causes : sècheresse de l'air ou trop d'eau ou encore conséquence de la chute des feuilles.

– **Une plante à feuilles panachées a des feuilles qui deviennent vertes.** Causes : pas assez de lumière.

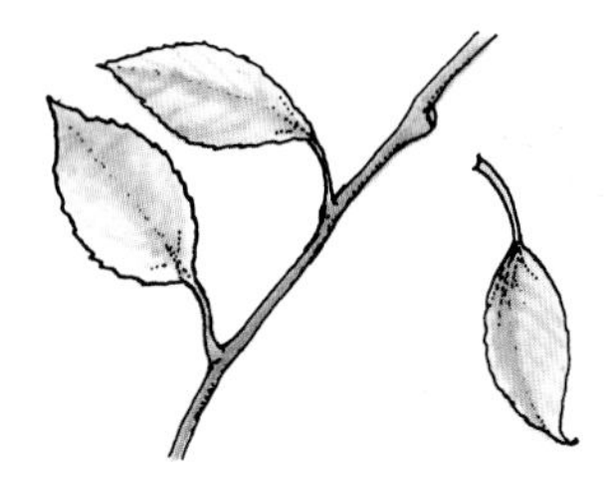

– **Ses feuilles jaunissent et tombent.** Causes : trop d'eau, courants d'air ou air pas assez humide.

– **Ses feuilles tombent brutalement.** Causes : changement brusque de température ou d'intensité de la lumière, courants d'air, trop de gaz dans l'air ou encore sécheresse des racines.

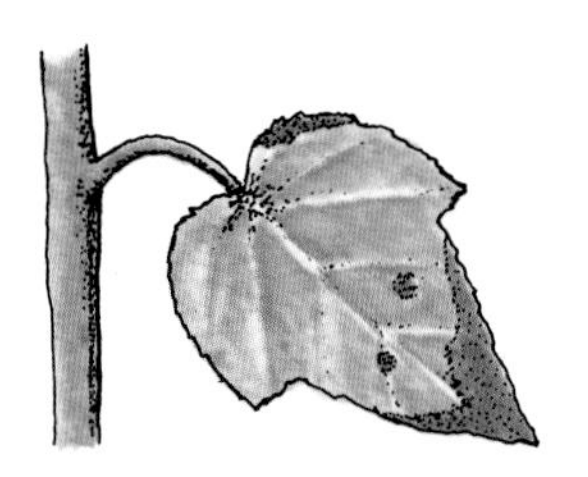

– **Il y a des taches ou des bordures brunes sur les feuilles.** Causes : courants d'air, air trop chaud et sec, gaz, trop d'eau, coups de soleil, éclaboussures, suralimentation.

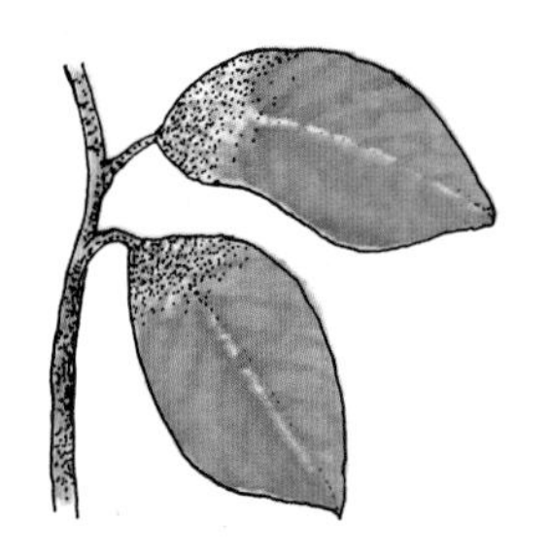

– **Ses tiges et ses feuilles pourrissent.** Causes : maladie due aux mauvais soins, trop d'eau en hiver, la pourriture des racines la fait pourrir.

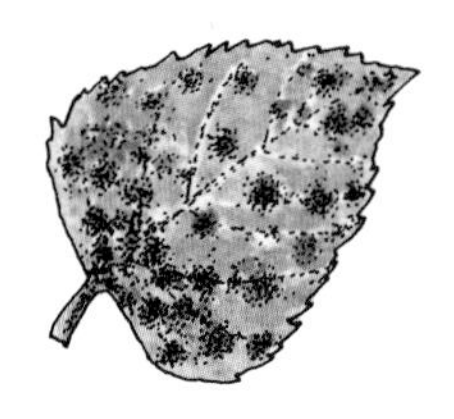

– **Autres maladies :** La pourriture noire, due aux insectes suceurs : les pucerons (2) et cochenilles (4 et 5).
Autres insectes suceurs, entre autres :
1. araignée rouge
3. aleurode ou mouche blanche
6. fourmi.

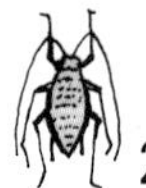
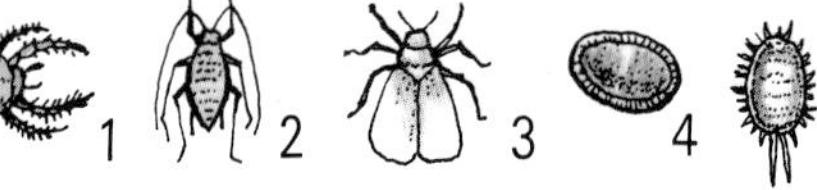
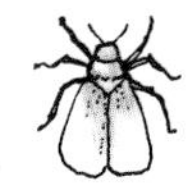

Observe et soigne les plantes

Tu aimes et admires ces plantes mais si tu veux les conserver, il faut leur apporter les cinq éléments essentiels à leur croissance : la chaleur, la lumière, l'eau, l'air et la nourriture qu'elles ont habituellement à l'extérieur dans leur habitat naturel. Sache qu'il ne faut pas les traiter toutes de la même façon. Pendant la période de croissance, elles ont besoin de plus de soins qu'en hiver. Observe-les un peu tous les jours : les feuilles, les tiges, la terre, la grosseur du pot, afin de prévenir les maladies, et parfois, la mort de la plante. Elle meurt de sécheresse, d'excès d'eau, de brusque refroidissement, de manque de lumière, ou de courants d'air. Ses autres ennemis sont les parasites et les insectes.

LES POTS

En général, il sont aussi profonds que larges, de tailles variant de 4 à 38 centimètres de haut. Les pots en terre lourds sont poreux et nécessitent plus d'arrosage. Les pots en plastique, plus légers gardant la terre à une température stable. Dans le pot, on met de la terre, pas celle du jardin, qui peut contenir des maladies, mais des mélanges spéciaux : les substrats.

LE REMPOTAGE

Quand la plante pousse mal, la terre se dessèche trop rapidement ou bien si les racines passent à travers le trou de drainage, c'est signe que le pot est trop petit. Rempoter de préférence à la fin du printemps. Choisir le nouveau pot à peine plus grand que l'ancien. Avant de placer la motte, il faut drainer. Le drainage sert à assainir la terre trop humide.

DRAINAGE D'UN POT EN TERRE

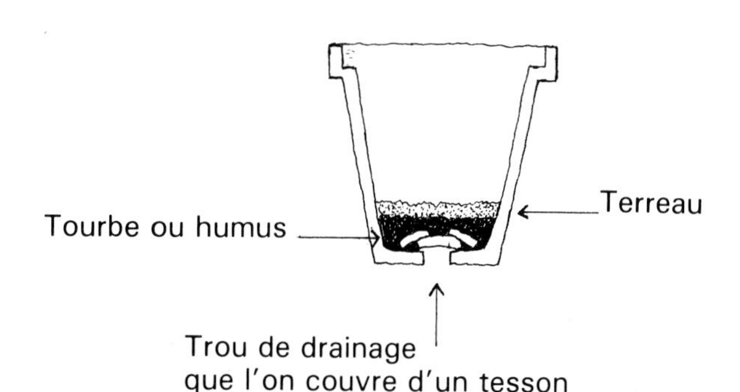

Donne lui ce dont elle a besoin

LA CHALEUR

Une température constante est très favorable à la croissance des plantes. Bien que la plupart des plantes proviennent des Tropiques, très peu d'espèces supportent une température trop élevée à l'intérieur où il y a moins de lumière et d'humidité dans l'air que dehors. Beaucoup d'entre elles poussent même mieux dans une certaine fraîcheur. Évite-leur surtout les changements brusques de température dont elles meurent. Il faut au minimum 2 °C pour les plus résistantes, 24 °C au maximum pour presque toutes les autres, en tous cas jamais au-delà.

LA LUMIÈRE

Les degrés de l'intensité lumineuse suivant l'exposition d'une fenêtre : le rôle de la lumière est importante dans le développement de la plante, cependant selon la variété une plante en a plus ou moins besoin.

Les fougères supportent l'ombre. Certaines des plantes vertes aiment une lumière moyenne, sans soleil, d'autres, une lumière vive. Celles à feuilles panachées et les plantes à fleurs aiment aussi une lumière vive avec un peu de soleil direct, enfin, les cactus et plantes grasses supportent le plein soleil direct tout le temps.

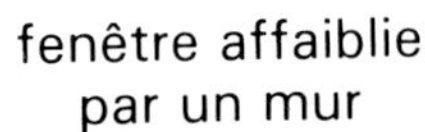

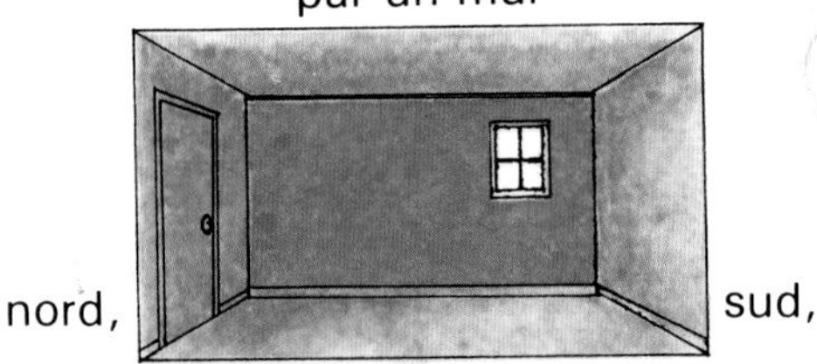

Lumière trop faible

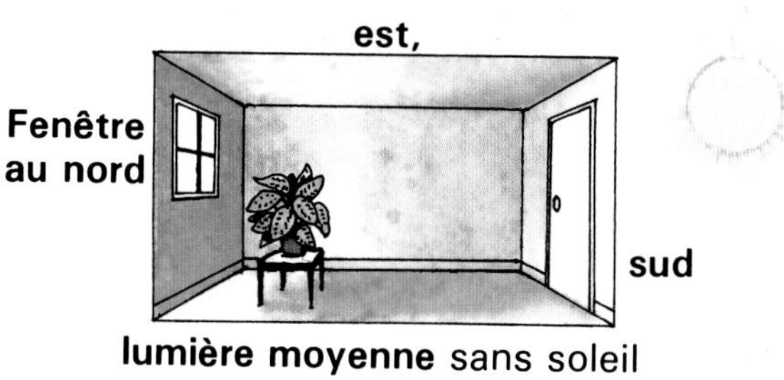

lumière moyenne sans soleil

lumière vive

Plein soleil tamisé ici par
un arbre

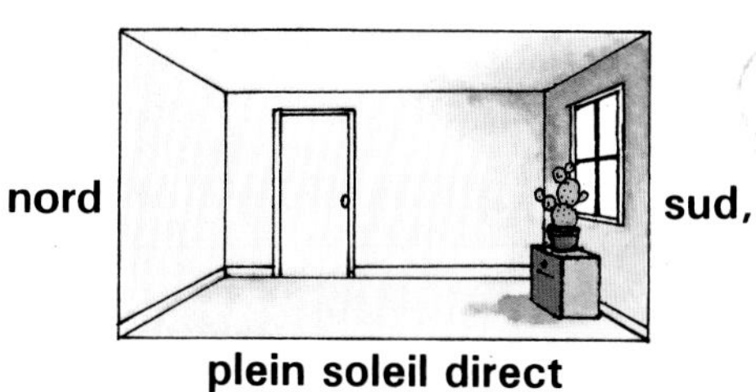

plein soleil direct

L'AIR

En évitant les courants d'air dangereux, fais prendre un peu l'air à tes plantes en ouvrant la fenêtre.
Tu peux même sortir certaines d'entre elles de temps en temps entre mai et fin septembre, cela les fortifie. Attention aux écarts de température entre l'intérieur et l'extérieur.

L'EAU

N'arrose jamais une plante tous les jours, sinon elle meurt, mais attends que la terre soit presque sèche pour le faire. Tiens compte que certaines plantes demandent plus d'eau que d'autres.
En hiver, au repos, réduis l'arrosage : 1 à 3 fois par mois. Au printemps et en été : 1 à 3 fois par semaine. N'arrose pas en plein soleil, sinon les feuilles éclaboussées peuvent brûler. Tiens compte aussi de la température et de la lumière environnantes. Celles qui viennent d'être rempotées ont moins soif que celles qui doivent l'être.
Enfin, pour remédier à la sécheresse de l'air due au chauffage central, augmente l'humidité autour de la plante.

Arrose jusqu'au bord du pot, puis vide l'excès d'eau resté dans la soucoupe.

Arrose par le bas quand le feuillage est touffu ou que la plante n'aime pas l'eau sur les feuilles. Vide la soucoupe.

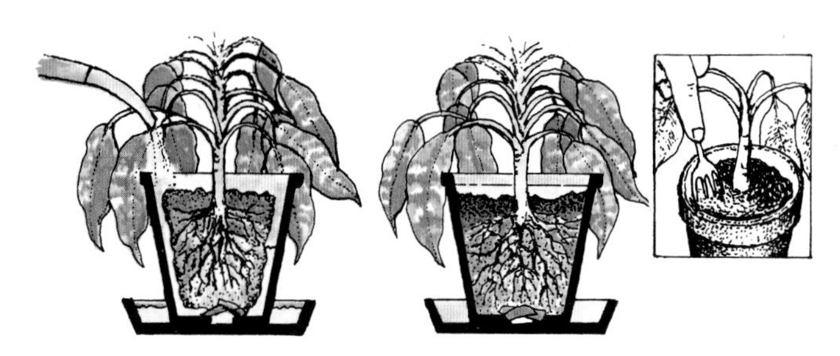

Deux ennuis d'arrosage d'une plante assoiffée :
L'eau coule directement au fond car la motte a rétréci ou bien la terre n'absorbe pas l'eau à cause d'une croûte.
Remède : pique la surface avec une fourchette, ensuite immerge le pot dans un seau d'eau quelques instants jusqu'au niveau de la terre, puis laisse la plante s'égoutter.

1. Vaporise les feuilles avec un vaporisateur à main.

2. Mets le pot dans un plus grand et comble l'espace vide avec de la tourbe humide.

3. Place le pot dans un plat rempli de gravillons couverts d'eau presque entièrement.

4. Place le pot sur la cale et fait lui prendre pendant 5 minutes un bain de vapeur. (Eau bouillante).

LA NOURRITURE OU FERTILISATION

Les plantes à l'aide de leur racines puisent dans la terre les éléments nutritifs dont elles ont besoin : l'azote, le phosphate, la potasse et les oligo-éléments. Or, les plantes d'intérieur ayant moins d'espace dans un pot que dans un jardin ne peuvent pas développer leurs racines pour renouveler les réserves épuisées. Arrose les avec un engrais composé liquide qui contient les éléments nutritifs. Nourris les plantes vertes et celles à fleurs pendant la période de croissance et à la floraison, soit de mars à octobre. Pour celles qui fleurissent en hiver, nourris-les en hiver.

En règle générale, évite de suralimenter les plantes en période de repos, sinon, elles seront malades.

NETTOIE LA PLANTE

Les plantes à feuilles larges comme le caoutchouc ont besoin d'être dépoussiérées de temps en temps, car la poussière les empêche de respirer correctement ou fait écran à la lumière. Passe régulièrement une éponge humide sur les feuilles.

PINCE-LA ET TAILLE-LA

Beaucoup de plantes ont besoin d'être pincées pour croître favorablement en étant ramifiées et touffues. Au printemps, pince le bourgeon terminal de la tige, ainsi se développeront des pousses latérales.

LE TUTEURAGE

Les plantes aux tiges longues, grêles ou alourdies par des fleurs et les plantes grimpantes ont besoin d'être fixées à un tuteur ou support. Fixe les avec du raphia ou des liens pour plantes.

Quelques plantes faciles à soigner

LES PLANTES VERTES

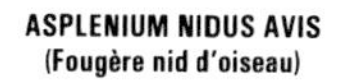

ASPLENIUM NIDUS AVIS
(Fougère nid d'oiseau)

Température : 18° à 20°C, lumière plutôt faible, l'arroser beaucoup et la maintenir dans une humidité constante.

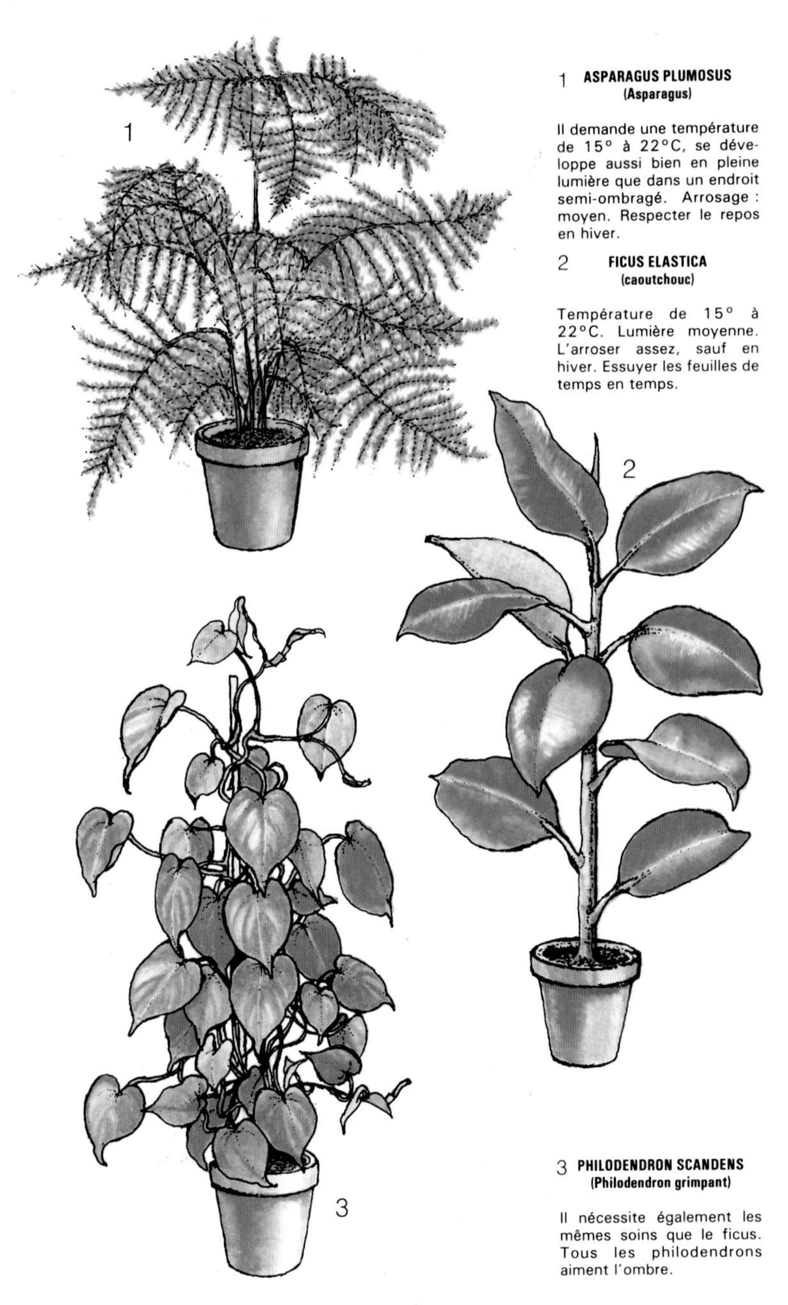

1 **ASPARAGUS PLUMOSUS**
(Asparagus)

Il demande une température de 15° à 22°C, se développe aussi bien en pleine lumière que dans un endroit semi-ombragé. Arrosage : moyen. Respecter le repos en hiver.

2 **FICUS ELASTICA**
(caoutchouc)

Température de 15° à 22°C. Lumière moyenne. L'arroser assez, sauf en hiver. Essuyer les feuilles de temps en temps.

3 **PHILODENDRON SCANDENS**
(Philodendron grimpant)

Il nécessite également les mêmes soins que le ficus. Tous les philodendrons aiment l'ombre.

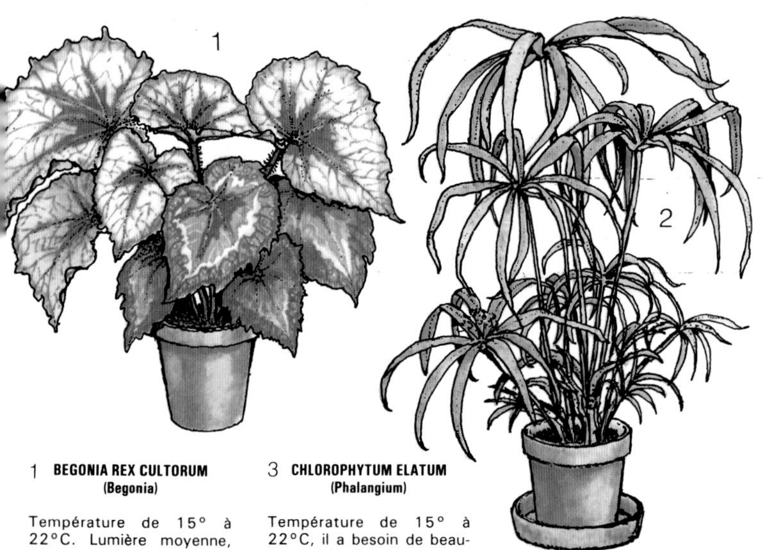

1 **BEGONIA REX CULTORUM**
(Begonia)

Température de 15° à 22°C. Lumière moyenne, supporte même un endroit plutôt ombragé. L'arroser beaucoup et maintenir la terre humide en été.

2 **CYPERUS ALTERNI FOLIUS**
(Papyrus)

Température de 10° à 22°. Lumière faible, endroit semi-ombragé. Plante aimant l'eau, donc on lui en donne autant que possible.

3 **CHLOROPHYTUM ELATUM**
(Phalangium)

Température de 15° à 22°C, il a besoin de beaucoup de lumière et supporte même le plein soleil. L'arroser souvent en été — où on peut le sortir —.

4 **SANSEVIERIA TRIFASCIATA « LAURENTII »**
(Langue de belle-mère)

Plante robuste. Température assez chaude en hiver. Lumière moyenne. Aime aussi un endroit semi ombragé. Ne pas trop l'arroser, surtout en hiver.

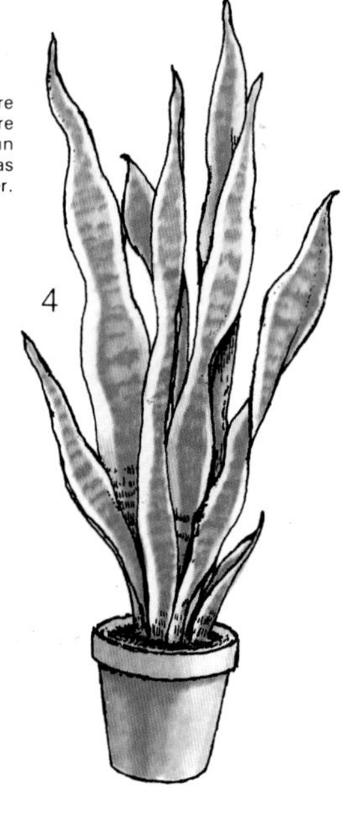

LES PLANTES A FLEURS.

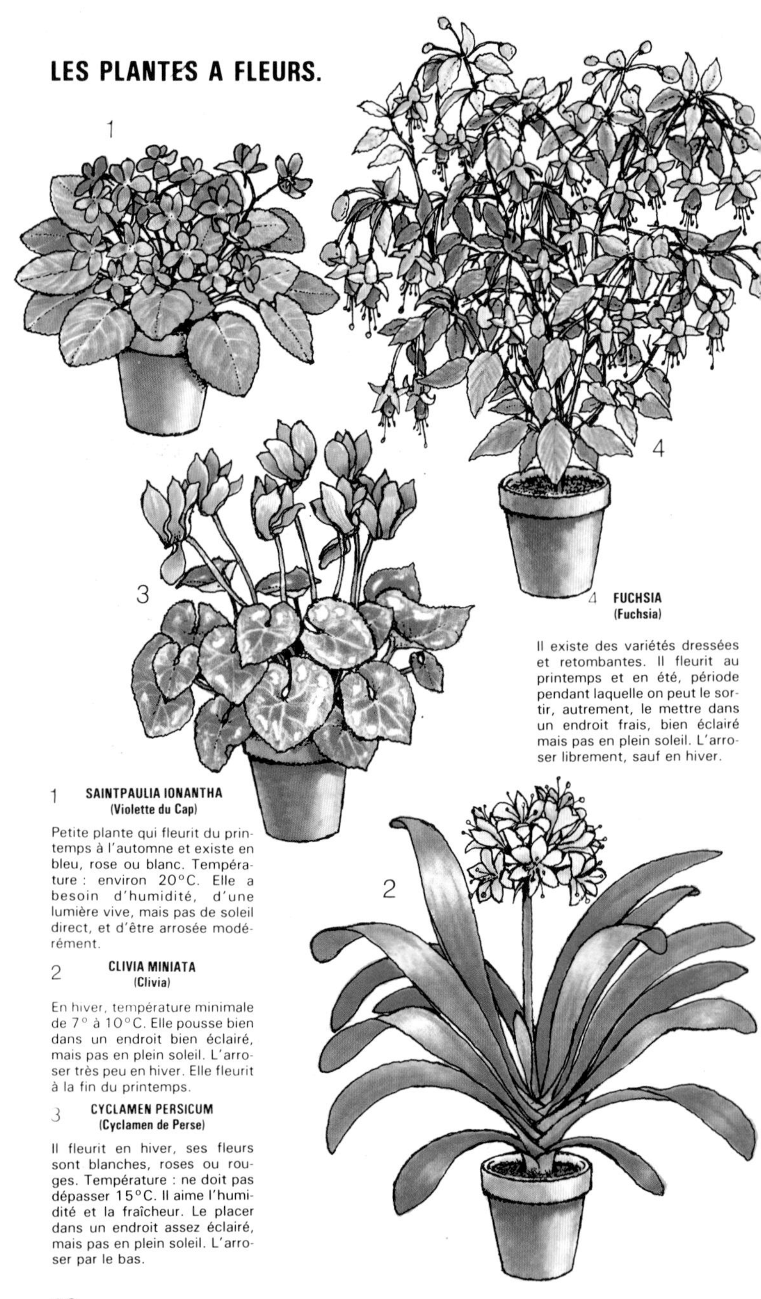

1 SAINTPAULIA IONANTHA
(Violette du Cap)

Petite plante qui fleurit du printemps à l'automne et existe en bleu, rose ou blanc. Température : environ 20°C. Elle a besoin d'humidité, d'une lumière vive, mais pas de soleil direct, et d'être arrosée modérément.

2 CLIVIA MINIATA
(Clivia)

En hiver, température minimale de 7° à 10°C. Elle pousse bien dans un endroit bien éclairé, mais pas en plein soleil. L'arroser très peu en hiver. Elle fleurit à la fin du printemps.

3 CYCLAMEN PERSICUM
(Cyclamen de Perse)

Il fleurit en hiver, ses fleurs sont blanches, roses ou rouges. Température : ne doit pas dépasser 15°C. Il aime l'humidité et la fraîcheur. Le placer dans un endroit assez éclairé, mais pas en plein soleil. L'arroser par le bas.

4 FUCHSIA
(Fuchsia)

Il existe des variétés dressées et retombantes. Il fleurit au printemps et en été, période pendant laquelle on peut le sortir, autrement, le mettre dans un endroit frais, bien éclairé mais pas en plein soleil. L'arroser librement, sauf en hiver.

LES CACTÉES ET PLANTES GRASSES

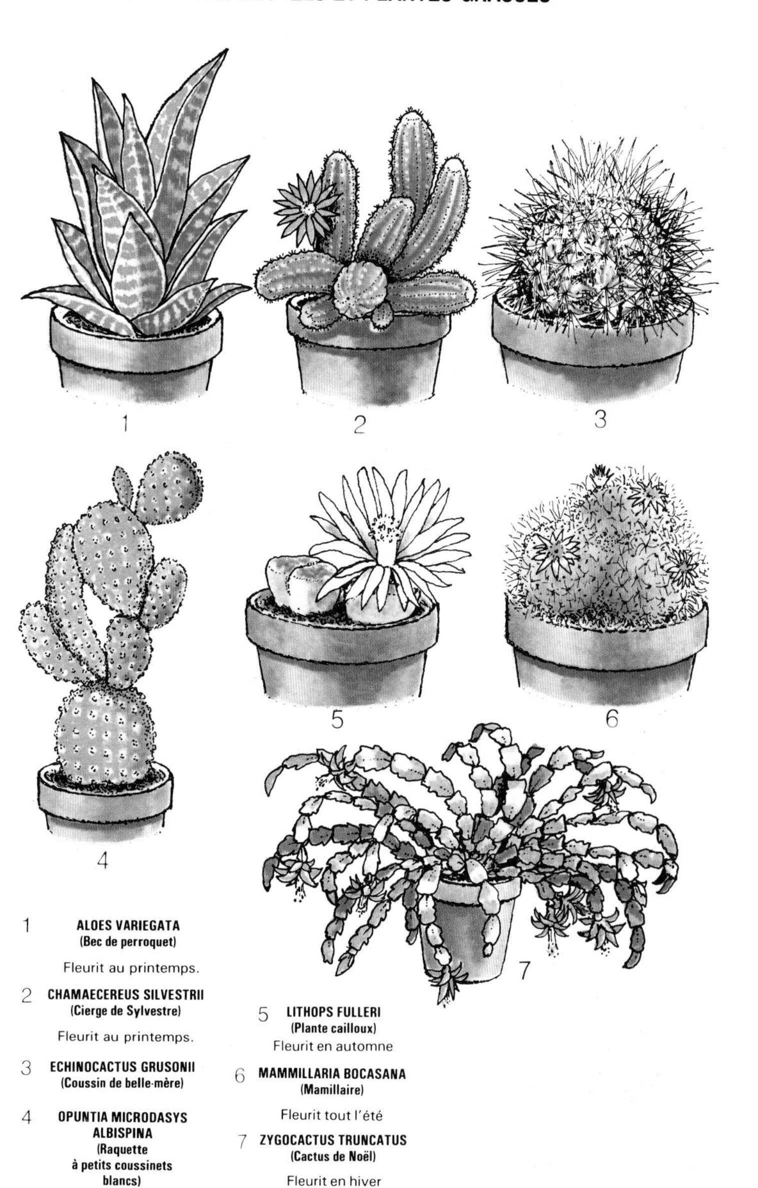

1 **ALOES VARIEGATA**
(Bec de perroquet)

Fleurit au printemps.

2 **CHAMAECEREUS SILVESTRII**
(Cierge de Sylvestre)

Fleurit au printemps.

3 **ECHINOCACTUS GRUSONII**
(Coussin de belle-mère)

4 **OPUNTIA MICRODASYS ALBISPINA**
(Raquette à petits coussinets blancs)

5 **LITHOPS FULLERI**
(Plante cailloux)

Fleurit en automne

6 **MAMMILLARIA BOCASANA**
(Mamillaire)

Fleurit tout l'été

7 **ZYGOCACTUS TRUNCATUS**
(Cactus de Noël)

Fleurit en hiver

Décore ta maison

Choisis une plante suiva les dimensions et le st d'une pièce, pas tr petite dans un gra espace, ni vice versa. Jo avec les contrastes d feuilles, des couleurs pc créer un équilibre dans décor.

fin, harmonise les plan-
; avec le décor mural de
pièce : toutes s'accor-
nt avec une tapisserie
utre ou unie, par contre,
papier à motifs étouffe
petites plantes, dans ce
s, choisis les grandes
ntes.

Bac rustique : tonneau coupé.

JARDIN EN BOUTEILLE

Composé de plusieurs plantes. Toutes les formes de contenus sont possibles suivant celles des plantes.

JARDIN MINIATURE

Composé de cactées et plantes grasses, entre lesquelles on sème des petits cailloux pour former des allées.

Nos remerciements à Messieurs Jean-François Ignasse, ingénieur à l'Institut technique professionnel de l'horticulture, Yves Favré, Professeur au lycée départemental d'horticulture de Montreuil s/Bois, Yves Hervé Professeur au Lycée Agricole de Hyères, pour leur aide et leur collaboration à cet ouvrage.

ACHEVÉ D'IMPRIMER 1er TRIMESTRE 1988 SUR LES PRESSES SPÉCIALES DE LA SOCIÉTÉ EUROPÉENNE DES ARTS GRAPHIQUES
5, RUE DE PONTOISE 75005 PARIS IMPRIMÉ EN ITALIE